ECO'R GWELD

Cyril Jones

Argraffiad cyntaf: 2012

ISBN 978-1-906396-39-8

Dymuna'r awdur gydnabod ei ddiolchgarwch i Gyhoeddiadau Barddas am eu gofal wrth lywio'r gyfrol drwy'r wasg.

Cyhoeddwyd gyda chymorth ariannol Cyngor Llyfrau Cymru.

Cyhoeddwyd gan Gyhoeddiadau Barddas.

Argraffwyd gan Wasg Dinefwr, Llandybïe.

Cyflwynedig i Mam

CYNNWYS

CERDDI CYFOCHROG

CERDDI CYFARCH

CERDDI COFFÁU

PAN GES I 'NGENI

Pan ges i 'ngeni 'nôl ym mhedwar deg saith,
llwy bren yn 'y mhen, dyna i gyd oedd yr iaith.
Drwy'r pumdegau dygn, mor gul oedd ei hiws a'i hawl,
iaith eilradd, eildwym yn ffit i ddim ond cegin, capel a chawl.

Ond mor ffodus fu byw ar un o gorneli siarp hanes;
y dewin a hwpodd 'rhen lwy lan ei lawes.
A ninnau'n athrawon, cyfryngis a beirdd, wrth ei gweld
    yn dadeni'n y pair,
yn canu, 'O bydded iddi barhau – yn llwy aur!'

NEWID AER
(Ta'-cu, Cefn-gaer)

Y 'newid aer' sydd wedi aros,
y 'dere i ti gael newid aer
i ben y banc'

ac mae rhythm deugam ar riw
yn gerdd sy'n dal ar gerdded,
a'i hodl yn neidio cenhedlaeth.

Newid aer y gweld sy'n mynd â'r gwynt
uwch dibyn dyffryn du
a hwnnw'n gul, yn dwndish yn y gwaelod
lle mae afon dan geulan o'r golwg,
a fframiau o goed am ambell ffarm gudd.

Newid aer sy mor daer ei dôn
yn sŵn llais uniaith,
yn gwau eu henwau'n gynghanedd –
Penglanowen-fach, Penglanowen-fawr,
afon Wyre islaw ... Bryn-whith a Gors-las.
Newid aer y 'dere
i ben banc' cynta'n cof
yn llaw tad-cu'r llwyth.
Y gwahoddiad, falle, sy 'ngherddediad
pob angerdd ddaw wedyn.

CARTRE'R COF

Ostin sefn, lôn gam a dou lygad – cornel bae
a ffynnon – y glân fan hyn a'r hallt draw,
a rhyngddyn nhw y gwyngalch yn ei gae,
llun camera bocs y crwt sigledig ei law.
Prifiodd y ddou – y crwt a'r tŷ – ac ar brynhawn
'dere fy merch' gwasgwyd e'n swps mewn dwrn,
llygad ar gau gan frics a'r llall dan frwyn a chrawn,
digon i droi llais y Sais croesawus yn fwrn.
Ond mam – a mam-gu – brofodd dros de a chacs
fod cof fel amser â'i safone dwbwl:
sôn am ddou bla – llygod a chymdogion – *'rhacs*
yn dwgyd glo o sied, wy dan iâr, a thrwbwl
y sleiglen frown ar eira a'r clots lawr shime
yn 'whalu lens y camera dwy a dime.

DRYW
('Rather a timid pupil' – Adroddiad Ysgol)

Maths o'dd y lesyn ac mae'n fyw fel ddo'
i'r dryw o'dd yn osgoi'i lyged e,
a'i ŵn fel brân yn hedfan mewn i'w go'
o'r coridore hir tu fa's i rŵm 2A.
What is squared ... squared? yn eco yn ei ben,
Ba-baglu balanso'r ateb ar raff iaith fain.
Do you stammer boy ... boy? a'r eco'n awr yn sen
am nad o'dd ystyr i *stammer*, na siâp i'w sain.

Y crwt o'r nyth gaeedig, o bentre'r
wal lawn englynion – storiaes am fabi mewn hesg –
bron llanw'i drowsus yn sŵn crawc cwestiyne,
bron marw ise hwpo'i ben i'r ddesg.
Nawr, ma'r pìn yn crafu i'w phren graffiti'i awen, druan,
a chwmpawd iaith â'i gylch e bron yn gyfan.

MARI

i.

Lan fry, rhwng dau arswyd yr hedfan – y codi a'r disgyn –
mae'n mentro, hanner ffordd rhwng y Fali a Chaerdydd,
edrych lawr ar arfordir cyfarwydd. Map byw mebyd

o dano yn cynnig cip ar lefydd a wahenid gynt gan
fryniau ac amser. I gyd yn un. Ac yn bod oddi uchod
ar yr un pryd. Darnau mân jig-so lleiniau Llan-non mor glir.

Blotyn hir o lyfr ysgol yw tai Cross Inn yn dirwyn i Nebo,
moelni mynydd Trichrug ar gyrion y gweld yn helmed plisman,
ac i'r golwg, o dan yr aden chwith, daw'r agen ddofn

sydd â'i gwaelod o'r golwg rhwng blewiach coed. Y gwaelod
lle llifa'r afon rhwng y pentre a'r môr yn Aber-arth.
'Whap – mae'n hedfan, gan dorri drwy holl ffiniau sŵn ac amser

bum degawd a hanner mewn pum eiliad yn ôl i un byd
bach, bach di-fap.

ii.

Gallwn fynd i Berllan Pitar heddi. Awgrym yn corddi anniddigrwydd,
er na feiddiai'r un ohonynt gyfaddef, nhw'r drindod ddewr a fu
yn Robin Hood, Davy Crockett a Lone Ranger wrth gwato'n y coed

a gysgodai'r hewl rhwng y pentre ucha a'r pentre isa.
Roedd hi'n rhwydd gadael i'r dychymyg chware rhannau'r rheiny,
ond unwaith ro'n nhw tu hwnt i'r bompren a'r llwybr troed

yn y cwm sy'n cydio sgwâr Gwynfryn a Llanbadarn,
ro'n nhw ar dir dierth. Yno, ro'dd ochrau'n culhau, y drysi'n
cydio mewn llewys a'r gwreiddiau'n nadredd hir

dan geulanne afon Arth. Doedd dim posib gwybod
pa mor ddwfwn oedd ei phyllau gan mor ddu o'dd ei dŵr.
Amffitheatr fyw go iawn, lle nad o'dd comic

na llyfr antur yn cynnig sgript i chware rhan. Lle
a adleisiai chwedlau'r Brodyr Grimm – a dirgelwch hen
Bont y Brodyr yn y cwm. Lle roedd coed yn ffurfio'n fleiddiaid
neu fwystfilod.

Pob cratsh dan draed yn fatsien yn cynnau'r dychymyg,
a'u camau wrth nesáu yn betrus, yn byrhau – a'u sefyll, wedi'i weld,
mor stond. Magwyrydd heb do, na drws, a socedi gwag

lle bu ffenestri. O'i flaen rhyw ffedog o ardd neu gae bach
rhwng cloddiau ar chwâl. Adfail fel petai'n hongian wrth ei raff o lwybr
a ddringai allt i'r golau'r ochor draw ... A lle dringai hithau

yn eu pennau nhw, gan lusgo'i chart bach ar ei ffordd i mo'yn menyn
i ffarm yr Ynys neu i Luest Mawr – neu i fynd â phwn o lafur
draw i'r felin – neu falle'i bod hi yn ei chlocs dan ei siôl

ar ei ffordd i'r côr yn y capel (nad eisteddai neb ynddo bellach).
Nid cyn i'r olygfa o'u blaen waelodi drwy'u pennau a'u boliau i'w traed,
y mentrent, yn nerfus, groesi ato, gam wrth gam, dros wyau cerrig
    yr afon

a mynd trwy dwll y drws i mewn i'w gragen. Berllan Pitar,
ta pwy oedd hwnnw – ond iddyn nhw, tŷ Mari'r wra... Allen nhw
    ddim 'bennu
geirio'r 'ch' dd'wetha. Fel 'tai'u cegau cau'n rhy glou am lond llwy

o foddion cas. Tu fewn roedd rhyw dynfa ryfedd at weddillion
yr aelwyd a'r lle tân. A'r untro mentrus hwnnw wedyn pan edrychodd un
ohonynt lan trwy dwnnel y shime – a chyhoeddi mewn llais gwan.

Mae 'na wenci lan fan'na. Ond roedd hi'n ergyd o frawddeg,
ergyd gwn ar ddechrau ras. A'r tri wedyn ar garlam
drwy'r dŵr a'r cerrig slic i'r llwybr – a lle nad oedd llwybr –

drwy'r coed a'r drysi. Mynd 'nôl go 'whith i lif y dŵr islaw
am fod eu pennau ar wahân, ac ar yr un pryd
wedi penderfynu bod Mari trwy ryw drawsffurfiad

gwyrthiol wedi meddiannu'r wenci honno. A phetai holl
wrachod a wencïod y greadigaeth ar eu sodlau, ni allai
coesau na thraed fod wedi'u gwân hi'n glouach tua thre.

iii.

Hedfan bum degawd trwy ffiniau sŵn ac amser. Triawd
arall erbyn hyn. Tîm siarad cyhoeddus. Practis ym Mhenbompren.
Ond y gwrando wedi'r siarad sy'n aros yn ei gof.

Dan, yr hyfforddwr, hen batriarch ei bentref, mab yr Ynys,
yn adrodd storiaes ei storws. *Chi'n gweld, ro'dd hi'n gallu rh'ibo.*
Pan wrthododd gwraig yr Ynys roi menyn iddi ro'dd

yn rhaid galw Mari'n ôl, achos er i'r wraig droi a throi'r hen fuddai
ddaeth 'na ddim menyn o'r hufen. Wedi cyrra'dd, rhoddodd hithe
gnoc fach i'r fuddai ac fe gafodd y ddwy fenyn wedyn.

Ac wedi gwrthod malu cardod o lafur iddi ym melin y pentre,
fe drodd hen rod y felin 'sha 'nôl. Mae hynny'n efengyl i chi.
Wa'th ro'dd Tomos y melinydd yn ddyn geirwir. Ac er ei bod hi'n

gapelwraig i'r carn, un tro ar ôl gwasan'eth cymun
fe sylwodd glanhawraig y capel fod Mari wedi briwsioni'r
bara yn lle'i fyta a'i adael ar lawr yng nghornel

y côr. Falle'n wir, chi'n gweld, taw merch y diafol o'dd hi.

Tri go dawel a gerddodd yng ngolau'r lampau trydan
o bractis Penbompren tua'r sgwâr. Ac ar ôl ymwahanu i dri
phegwn pygddu'r nos does dim byd sicrach na bod

blew eu gwarrau ar wrych a'u traed yn wreichion.

iv.

Un 'whap' arall – ac mae'r adenydd dur yn troi ar oleddf,
ei figyrnau a'i wyneb yntau'n gwelwi a'i fola'n troi gyda hi,
wrth weld caeau glas y Fro yn codi'n wal werdd.

Ac mae'i daith rhwng gogledd a de, rhwng daear ac awyr;
ei hedfan trwy heddiw, ddoe ac echdoe i dir neb
ofergoel a rhagfarn – yn ôl i'r adfail rhwng blewiach coed

a chloriau'r dyffryn cul – mae honno'n dod i ben.
Taith yr eroplên fach sy'n clwydo, nid yn y Fali
na Chaerdydd, ond ym mhen draw rynwe'r ofan –

afresymol, medd rhai – rywle rhwng y galon a'r pen.

TRE BALED BYWYD

(Dathlu daucanmlwyddiant tref Aberaeron – 2007)

Mae'n farchog-fardd wyth oed yn lorri Wil Whitehall;
drwy'r tarth o ben rhiw Aber-arth, daw hithe'n ôl
yn friwsion tre ar frat o dir – fel'ny mae,
yn gwmws fel 'se hi'n gorwedd yng nghôl y bae.

Yn llwyd fel clwtyn wedyn daw mewn bws
lan rhiw arall – a barie'r *gym* yn jâl yr *eleven plus*.
Drwyddyn nhw – strydoedd a chae – mor sgwâr
â'r papur prawf a gaeai'i feddwl e fel drâr.

Lesyns labordy sy'n dal i ddrewi yn ei go',
ond o destiwb caeth y rheiny câi forio dro
ar ddiwrnod clir hyd frynie Wicklow draw ...
mae'n dewis peidio â chofio llefen ffenestri'r glaw.

A lle roedd Aeron yn 'whyddo wrth fynd 'sha thre
a hwpo'r ceulanne cul, fe deimlodd e
ei thon ymhob gwythïen – ei holl synhwyre'n drên –
a'r nos yn dwnnel llaith yn Lovers' Lane.

Yr un synhwyre a feddwai ar rythm iaith – sŵn gair,
fel 'namyn gormes Amser' y bardd o Lanbryn-mair;
neu swyn Saesneg Hardy yn 'At Castle Boterel' yn ail-fyw
dyddie'i angerdd gynt. Heddi, pan ddaw ynte'n ôl wrth lyw

a milltiro'dd blynyddo'dd ar gloc ei gerbyd e –
byw siwrne'r geire wedi'i sobri – mae'n gweld tre
sydd fel fe, ar gered, ac yn cwato'i hoed hefyd
tu ôl i baent ei lliwgar dai, tre baled bywyd.

PYTIAU PENTREFOL

i.

A ninne dan oed yn sychedig
yn 'clwbio' Ceredigion ar ein hynt,
yn waredwr o'r dwyrain mewn gwydryn
daeth y fodca na fradychai'n gwynt.

ii.

Llanddewibrefi lle brefai'r ych
yn fy mhen ar lwyfan
a 'nhafod yn sych.

iii.

'Dyw'r llun siwtiog-barchus ohonom yng ngwesty'r Bae
ddim fel negatif y cof o adar strae
yn magu blew, yn ewn, fel dos o *salts*
yn godiad cyntaf ar lawr yr olaf *waltz*.

iv.
(I gofio Alun)

Dim y sosial na'r cwis ond ti'n tynnu coes
a'n bugutan sy wedi serio am dros hanner oes.
Ninnau'n dy 'fedyddio', dal dy ben dan y tap
cyn mynd adre. Ti'r wên a aeth 'whap

i'r lladdfa olwynog rhwng hewl a haearn,
fel na alla' i drafaelu rhwng Lluest a Llanbadarn,
heb i ail-fyw ein pranc, cyn dy dranc,
'neud i fi dyfu'n ôl yn ofnadwy o ifanc.

v.

(Mr Hinds, un o fewnfudwyr cynta'r pentref)

Llong o ddyn, yn tin-droi ar y sgwâr, wrth ei Angorfa;
rhyfedd iddo lanio'n ein plith â'i gargo rhyfedda'
o addysg Rhydychen, mam glaf a'i dewdra e;
rhyfeddach mor glou fu iddo droi'n rhan o'r lle.
Yn gryts fe wnaen ni sbort am ei ben – yn llythrennol,
ac eto, bu'n gapten rhes flaen llunie'n trafels pentrefol.

Llong tir sych dan awelon parch a llach gwawd,
rwyt ti'n dal i din-droi fel rhyw gof digwmpawd.

vi.

Ailwincio fel glaslencyn, i hudo'i
ddoe i oed, gan ofyn,
a gyrhaeddais i'r gwreiddyn,
neu ai'r graen yw'r geiriau hyn?

ENLLI

Fe'i cyrchaf mewn car. Does dim rhaid croesi swnt
er mwyn cyrraedd bro'n saint a'n meini,
waeth mae gennym oll ein henlli y tu hwnt

i dir mawr y blynyddoedd. Fel 'na y meddyliwn ar daith
tua thriongl f'ynys i: Pwll-llain-gall chwedlau tad, wrth y sgwâr;
y tŷ lle tynnwyd fi – yn llythrennol bron – o'r lluwch ym '47

ar ddydd ein nawddsant. A lôn hir y 'nabod draw i Nebo
heibio i garreg gam y Big dros y clawdd.
Doeddwn i ddim, wrth gwrs, wedi bargeinio gweld byngalo

ymhob bwlch, fel gwrec y blynyddoedd hyd ei glannau,
a'i honglau i gyd yn Eingl. Fe drodd y siwrne'n ôl
yn groesi swnt go iawn, yn ddianc rhag llanw sydd hefyd yn drai.

GWAWRGAN

Lladdfa yw'r dagfa ar doriad y wawr
hyd lannau Taf, rhyw waedli'n tyfu
yn thrombosis boreol o geir am deirawr –

a lorïau. Dônt, lle bu 'slawer dydd
geffylau a cheirt, drot, drot i'r dre.
Yn eu heco mwyn daw e ar feic mynydd
ar wib dalog ar ei bedalau;
gwau trwy'r rhes geir
â rhyw drem lawr ei drwyn
ar dinau a suddwyd mor dew'n eu seddau;
pob un mewn byd sydd hefyd ar wahân,
ond i'w hunfan, daw'r un diwn, 'run donfedd ...
y bore yr arafodd ar ffordd Aberafan,
hewl Gŵyr sy o liw gwaed.

Gwau heibio wna'r gwibiwr
ar ei orseddfeic i aer bur ei swyddfa;
matryd y got ddihafal sy'n dal pob dŵr –
a wnaed yn gain, yn dynn-gynnes
gan ddwylo main yn Nhaiwan a Tsieina;
matryd, mor ddi-hid o hawdd,
holl lifrai hardd eu llafur rhad.

GOLWGYDRE LANE

(Yn y Drenewydd)

Mae hi yno fel darn o ddoe – ar ôl.
Ganllath o hyd, lle mae heddiw'n hollbresennol

yn stadau tai a ffyrdd – yn ei chladdu o'r golwg
yn y dre. Wtra fach dan eu gwg

a fedyddiwyd rywbryd gan chwys cerddwyr
a gâi gip cyntaf ar le. Ond nawr mor ddisynnwyr,

hyd yn oed i ni, yr un o bob deg sy'n deall
yr ystyr a blannwyd gan ryw oes arall.

Hynny, cyn i'r haint groesi'r afon ac epilio
yn frech frics. A rhoi gwynt dail a sŵn nant am byth dan glo ...

Y meddyliau hyn sy'n cydredeg â'r sawl sy'n rhoi her
drwy gadw'n heini – i'w hunan, ac yn wir i amser.

Drwy we'n byd, ym mhob cwr, maen nhw'n edrych mor od:
y darnau sydd â'u henwau wedi rasio'u hanfod.

MYND I'R WAL

(Derbyn gwasanaeth Cymraeg am y tro cyntaf)

Yn Hwlffordd roeddwn i
yn ddwfn yng nghôl y 'Little England'.
I fi, lle digon gwag,
prin ei Gymra'g.
A finne yn brinnach fy arian,
fe droais i'r twll
ym mur Banc y Midland.

Dodi'r plastig yn dafod
yng ngheg robot y god ddiwaelod,
ond cyn porthi'r rhif cywir
i fola'i gyfrifiadur,
wele,
ar sgrin ei wyneb – wyrth.
Yno, yn y tir anghyfiaith,
ces ddewis – mae'n ffaith –
cael gwagio fy nghyfrif
trwy gyfrwng yr heniaith.

Chithe, felly,
ystyriwch,
os byddwch ar gyllidol gythlwng,
ac mewn lle sydd i chi'n ieithyddol flwng,
cewch gysur dihafal
trwy gynnal sgwrs fud
ar gornel stryd
gyda thwll yn y wal.

LLANSTEFFAN
(11–16 Chwefror 2008)

How I, a spinning man,
Glory also this star, bird
Roared, sea born, man torn, blood blest.
DYLAN THOMAS

Dros y dŵr, dryswyd y dydd.
Cyhyrog yw corrach
amser a gorhyder ei haul
yng nghân a chodiad adar
a thrwy goesau blodau yn bwledu.
Gwrachaidd yw sŵn plant yn sgrechen
eu castiau rhwng cestyll
tywod, ac mae Tywi
yn troi'n llinyn arian y trai.
Dan gyrch saethau pelydrau lu
rhodresgar draw yw osgo
anferth y castell melynfaen.
Ynddo, drosto mae 'na drwst
yn ei acer, sŵn picnica.
Ymosodiad mwy sydyn
na Glyn Dŵr a'i ffagl yn dân.
A draw o dano yn ymuno mae
tri lli – Gwendraeth a Thywi a Thaf
yn eglur eu cydoglais –
eu dygyfor fel uniad y tymhorau
yn aberu hedd, yn sinistr o braf.

Yn erw'r 'Green' yn araf
una aber o hen wynebau
yn llwyth Cymreigaidd un llais –
fel awel hen gynhaeaf.
Ond byr yw gogoniant – a brau.
Diffodd wna haul pob Llansteffan
tra bo'r peiriant-deirant a'i yrru'n
dal i atsain o Fecsico i Tsieina
a llenwi'r hewl yn Llundain a Llanrwst.
Ymhob nen mae'n grocbren o graen,
uwch cloddiau'n clindarddach. Cloddio,
a'i lwch uwch pob tegwch yn tagu.
Ond heno yn ymchwydd y tonnau
drwy'i eirias grefft daw dyrys gri
y bardd tragwyddol ei bill
dros gyfnos y gefnen
yn loyw a diferol ei glodfori;
ei rwysg, ei odlau ar wasgar
a dilyw ddoe'r delweddau hael
fel 'taen nhw'n gweld o bell hin stram-strellach
yn dreisiwr ar daith yn drysu'r dydd.

Y GADWYN OLAF

Yn gorpws ar wely'r cwm
mae'n cael ei datgymalu,
ei tho'n benglog a'i waliau'n sgerbwd

o rwd islaw.
Hon, hen ffatri Brown Lennox
fu'n cynhyrchu tsiaeniau

ganrif gron yn ôl, i long
sy'n codi i'r wyneb weithiau o ddyfnder cof.
Ac o'r llwybr uchel – y gweld hwnnw

a asiwyd â chlywed echnos
ar donfeddi radio am farw Millvina Dean,
y wraig naw deg a saith

a fwndelwyd yn naw wythnos oed
i fad rhag tarw'r mynydd iâ.
Hithau, fel llestr yr heniaith hon,

yn goroesi cefnfor brochus
gweddill yr ugeinfed ganrif
a dechrau'r unfed ganrif ar hugain.

Ac felly,
unwyd y dolenni hyn
o haearn a rhwd, cnawd a'i ffawd,
iaith a'i hanrhaith
yn gadwyn fregus – arall.

CAESAR'S

(Bwyty ger pentref Creigiau)

Ffrwd fach gyffredin,
Nant y Cesair – honno fu'n geirio,
treiglo iaith tir a glaw.

Ei gwib wyllt trwy geg y bont
yn noethi'i dannedd wrth donni,
weithiau'n grac – neu'n chwerthin yn groch.

Ac ar oged garegog
ei gwely'n chwyrn, bu'r ewyn chwâl
i'r glust yn rhugl o ystyr

ei henw. Hwnnw a fu unwaith
yn iasu'r Wenhwyseg
ar lafar – Nant y Cesar oesau coll.

Ac wele'n awr, ger ei glannau hi,
yn nhreigl ac yn nhwrw hyglyw
pistonau lle bu pedolau, codwyd e –

tyst o fwyty i ystyr

yr hapseisnigo – a'r Rhufeinio – a all droi'n fud
a drysu'n wir, dros nos,
hynt heniaith y nant ynom.

Ac yno cawn, yn hamddenol, gnoi cil,
ar dri chwrs hael – a falle – ar drai ei chwrs oer,
Nant y Cesair, Nant y Cesar,
a hi'n nos ym mwyty Caesar's.

YMCHWILYDD

Ar fwrdd chwech mae'r halier-hanesydd
yn dadlwytho'r glo ideolegol, glân
i'w dudalennau;

ganrif i'r dde
mae'r goler gaeth a dagodd
ddiwygiadau yn ymbalfalu
trwy niwl ei ddiwinyddiaeth.

Rhyngddynt
a'r canghennau farnais
mae hi yno
yn sugno sudd hen lawysgrif
yn myfyrio
yn llifo
yn afon rhwng glannau ei Levi's.

Trof innau, am ennyd, yn ôl at y ffeiliau
sy'n chwydfa o hen bechodau
ac wrth eu matryd o'u Lladin a'u llwon
yno yng nghoedwig y silffoedd caeedig
heb fod nepell o hen eglwys a merched Llanbadarn
mae'n golygon yn mud gleddyfa

a phara
wna'r hen wleidydda
rhwng pleidiau
y pen a'r galon
y gont a'r gala.

TRIOEDD

Clustiau'n
dyheu am glywed
cod cyfrinachol y tri chaniad
o nyth blastig
y gornel.

Llygaid
draw ar gynfas yr awyr
a thrindod bigfain o elyrch
yn cylchu dyffryn Hafren gerfydd eu gyddfau;
fflach dwyfran bendramwnwgl
yn ymlid boda
hyd orwel myfyrion.

Calon
ynghlo rhwng pegynau'r
triongl tragwyddol
a'i gobeithion
yn gaeafu.

TWF

(Lluniwyd fel darn i'w lefaru ar gyfer
oedolion sy'n dysgu Cymraeg)

Ledled y ddinas hon,
fe'u plannwyd
yn goed bythwyrdd eu gobeithion:
y gyntaf ar fryn uwchlaw afon Taf,
a breichiau'i changhennau
yn gwneud eu gorau i estyn ymhell.
Holltodd hedyn honno
a thyfu o'r newydd gerllaw Melin Gruffydd.
Lluosodd a hedodd hadau
i bobman wedyn.
Bu'r arloeswyr wrthi
yn meithrin,
paratoi'r tir,
gan goncro concrid go galed yn aml.

Ond bellach mae'u henwau fel hwiangerdd
yng Nghoed-y-gof, y Wern, Bro Eirwg, Treganna,
ym Mhen Cae, Pwll Coch, y Berllan Deg a Glan Morfa,
allan i'r Creigiau a Gwaelod-y-garth;
maen nhw'n dal i dyfu ym mhob parth,
yn goed bythwyrdd ein gobeithion
ni nawr.
Ac ym Mhlas-mawr a Glan-taf mae'u hafiaith
yn medi nodau newydd i'r heniaith.

A ninnau – beth amdanom ni?
Yn sŵn cân ifanc y coed,
yn araf, mae gair yn troi'n eiriau
a'r geiriau'n frawddegau –
a hithau'n tyfu, tyfu
ar ein tafodau.

ECO'R GWELD

Newydd ei brynu, mae'n crafangu fel
dringwr o le sy'n ofan dringo'r wal lawr
gerfydd ei angor ansicr o iorwg.

Yr olygfa ohono, dim be sy ynddo sy'n
werth 'wheil, medde fe – a reilin
ei falconi'n cau amdano fel caets.
Ennyd wan, ac mae'r dibyn yn mynd â'i wynt,
ond 'rochor arall i wely glas y gamlas goll
llifa'r dŵr – yn afon – yn llafar i'r dwyrain.

Ar ei glan hi mae cae rygbi, o ble daw'r waedd
a'r gic sy'n eco'r gweld.
Mae'r whare'n well o hirbell ... wir!
A draw, bron o gyrraedd ei drem,
tu hwnt i bob sŵn a sgwrs, mae 'na gwrs golff
yn un, i'r llygad, â mynwent.

Ond eco'r gweld *nad* yw'n gweld – a hwnnw ar gof
a chadw sy'n ei hawlio am ychydig:
rhybudd y cawodydd o gyfeiriad y Cei
wrth gropian hyd y glannau;
trên â'i chwibaniad trist
yn rhy glir o Giliau Aeron
yn agor y glwyd i argae'r glaw;
meinwe niwl mynydd
yn argoeli glesni *wedi'r* glaw ...
a waliau'r bont nawr yn chwalu
er bod y ddau wedi synhwyro'r breuo yn ei brics.

Ond tano, mae'r afon hon mor wahanol
a hynt ei cherrynt go chwith,
yn ddiarwydd ei herwau.
Falle mai'r hydre'n ei bridd sy'n peri iddo
dwyllo'i hun nad yw'n deall iaith
arwyddion ei daearyddiaeth.

Yn ei fêr mae'n gwybod bod 'na fynd
i wagle heb nodwydd tua'i ogledd
na fisa i chwysu'i fysedd,
mai adlais llais fydd ambell le
a gaewyd mewn cwpled o gywydd –
fel arch Ystrad Marchell.

Ond tu hwnt i fyfyrdod a sgwrs, mae 'na gwrs golff
yn un, i'r llygad, â mynwent,
lle mae pawen felen, fud
jesibî bach
yn ceibio, ailgeibio ei ddwylath o gŵys.

Dan ei wynt, mae'r dweud yn winc,
Mae rhywun fan'na 'di cyrraedd y twll d'wetha,
myn diawl!

A 'nôl â fe, 'nôl i fewn,
uwch wal yr eiddew
        i'w hen dŷ newydd.

CLYTEMNESTRA

(Ar ôl gweld addasiad Gwyneth Lewis yn Theatr y Sherman)

Neithiwr, golygfeydd du –
llofruddiaethau, dialedd
a'r llwyfan yn lladd-dy:
Clytemnestra
a'i holl alanastra.

Clywaf chi'n dweud,
Dyna beth fyddet yn ei ddisgwyl, siŵr braidd,
i iasu rhyw hen glasur Groegaidd.

Gwir, ond roedd y dramodydd, yn garcus,
wedi rhoi'r cwbl mewn Tardis
a'n cludo i ryw ddyfodol
rhy agos at yr asgwrn:
byd diolew, di-fwyd –
a'i ddal o 'mlaen, fel dwrn.

Felly, pan ddihunwyd fi'n sydyn
a'r bore heddi a'i olau'n rhy brin,
fe fyddech yn disgwyl mai hunlle'r trais trwm
neithiwr oedd y rheswm.

Anghywir.
Pan laniais o Dardis y dwfe,
ro'n i newydd fod mewn dosbarth gwau, dethe
a'r tro yma
fi'n unig oedd y gynulleidfa.

A'r athrawes? Neb llai nag awdures
erchyllterau neithiwr. Ie, Gwyneth Lewis
yn arddangos campweithiau
a gwendidau'i gwaith gwau –
yn du blaen, cefn a llewys.

A chyn i mi lwyr ddihuno
ac i'r golau ddechrau gwawrio,
rhyw led-gofio yno i fi ddarllen, rywbryd,
yn llyfr patrymau geiriau'r bardd diwyd,
bellen o gerddi –
'How to Knit a Poem'.

Wedyn, rhwng cwsg ac effro
ymbalfalu am bensel,
am bapur, gan daro arno
rai geiriau yn bwythau
digon anniben –
weithiau, gobenyddion
rhag byd brwnt
yw'n breuddwydion.

LLEIDR

Onid yw cip ffenest car
– a hwnnw'n wibiog – ar wynebau
tai yn cwato tu ôl
i fasg o sgaffaldiau fyrdd
o draw fel dal lleidr ar waith?
Yntau ar ei hynt
newydd ddwyn yn ddienaid
gaeau, llwybrau a lle
ein gware gynt.

LLANW A THRAI

Wedi ein hwb o adnabod, awn am dro
yma i draeth hen gymod,
ond y don a'i mynd a'i dod
a fu'n denu, sy'n dannod.

CERDDI'R CYFANNU

LLYTHYR-GERDDI
(At gyfaill o Kenya)

(Dilyniant buddugol y Goron, Eisteddfod Genedlaethol Ceredigion, Aberystwyth, 1992)

Julius

Ffawdheglwr y wên ifori,
wyt ti'n cofio cydfwrw dis y siwrne
rhwng Boraghoi a South Horr?

Trafaelu'r tir lle buest ti'n grwt
yn bugeila gafrod, breuddwyd'on a sêr ...
Ni'n dou, ar do'r cerbyd saffari
wedi hanner matryd, am fore,
hen wahaniaethe iaith a hil –
a'r brawddege rhyngddon ni
yn bracso'n gorynnod lletwhith
wrth ddirw'n y we
sy'n hŷn na ni a nhw.

Gwe sy'n dal i gwato,
i grynu
yn un o gorneli'r galon.

Ffawdheglwr y wên ifori,
wyt ti'n dal i gydfwrw dis y siwrne
rhwng Boraghoi a South Horr?
Neu a est ti rhag yr houl sy'n sgerbydu
milltiro'dd sgwâr dy gynefin
i ddrachto, ym Mhrifysgol Nairobi,
o ddysg y Gorllewin?

* * * *

Hedfan,
o hindda'r cyhydedd i aea'r Canoldir.
Cyrradd,
lle ro'dd pob un yn gwisgo
gwlân a lleder a gwep
i gadw'r gwres mewn
a'i groeso ma's.

Dychmyga

Dychmyga wlad lasach a byd gwynnach,
dychmyga hanner llouad y tir llwm
rownd Llyn Turkana dy febyd
dan ddŵr,
yn donne i gyd.

Dychmyga,
hediad gwylan bant o'i ddyfro'dd,
grwt fel oeddet ti,
mewn man
lle ro'dd cymo'dd yn cau amdano,
ar adeg
pan o'dd cloddie'n clapian
a chrafange 'da chrefydd.

Dychmyga'r diengyd wedyn
a morio'r gweld
a fuodd mor gul:
croesi glas y dwfwn
a rowndo hibo i dri ne' bedwar aber

ar y dde;
dilyn trymwedd glanne,
'rheini'n whyddo'n fynyddo'dd
fel toesyn yn ffwrn y dydd,
cyn troi,
i ddarllen o whith
y frowddeg hir o dir
nes cyrradd dot yr ynys

ar y pen.

Dychmyga'i glywed e,
hediad gwylan bant,
yn hwrnu'i fwgwth ...
a'r stormydd – dwy yn un,
a'r crwt tu ôl i gwarel jâl o ysgol
yn clywed iaith a lesyns dierth
yn bwrw bariwns 'i feddwl.

Dychmyga'r edrych ma's
ar glatsho'r tonne,
pob un yn gawad wen dros wal –
storom o ystyr
ac ynte'n clywed dim!

Dychmyga,
godiad tir o sŵn anadlu'i wely,
gydgered-glebran dou grwt
ar hyd hewl nosweithie'u ffantasïe;
lleise newydd dorri yn y düwch
yn rihyrso swmpo a rhwto'r act erotig,
tra'n bell o draw o inc y bae,
winc bryfoclyd
goleudy'r dot o ynys.

Dychmyga heno'r crwt yn ddyn,
led gwlad ar gered
yn nhir ffensys a ffin,
lle ma'r gwynt o'r dwyren yn fain
a'r iaith yn feinach.

Dychmyga fe,
rhag oerfel dalen wag o wlad,
yn bell o'i fôr –
panso llaw'r pensil,
i ddala'i liw a'i wynt a'i fŵd,
er mwyn 'i hala atat
yn gragen geire.

Cyffes

Fe welest, ma'n siŵr, nad o'dd man gwyn man draw
drwy dylle'r llyged ym masg 'y nghnawd,
'mond cymyle'r nos dropas, dim gwawr o gyfaddawd.

Ond 'wedes i ddim, bydde gweud wedi gwaedu
'rhen glwy am y ddwy yn y galon, un 'run oed â thi –
wa'th ma' 'na heledd yn ei hing 'rôl pob whalu.

Finne wedi meddwl y bydde mynd bant
i'r lle ma'r houl rownd bola'r byd fel garlant
yn ffordd o drwco'r byd real am ramant.

A dyna pam wrth drafaelu'r anial,
lle ro'dd popeth obeutu – creige, preidde, co'd – ar whâl,
ro'n i'n holi cymint am y rheffyn o'dd yn cynnal

tylwyth wrth lwyth; tano'n dy lyged ulw
yr hen seremonïe ym mrynie'r Sambwrw,
halio gwreidde dy gred mewn rhyw goel ne' lw.

Ac wrth sôn am 'barél o sêr, yn llosgi'n lluserne
hyd orwelion dwst rhyw grwstyn o wagle
'rochor draw i dir defod a nabod, fe glywes fod ple

eu gole'n fan gwyn yn dy lyged di.
Pan gyrhaeddes inne, mewn tridie, ddiffeithwch y Chalbi,
ro'dd dagre'r cymyle'n dal i grynhoi,
nes bod gole'r lluserne yn hollti.

*Uhuru**

'Nôl fan hyn, ma'n houl haf ni
mor ddof â chof 'beirdd a chantorion'
sy'n para i ganu'n gwaedu.

Ma' rhai, i fwydo dyfodol
iaith ar glemio, yn ymladd
fel cŵn dros asgwrn o ysgol.

Tynga'r lleill fod ochneido'r
nos drom, yn feich'og ers tro,
ac o'r diwedd yn dyddio.

Finne? 'Wy'n dala i ga'l dolur
bob tro 'wy'n cau'n feis y cof
heyrn o dân houl dy dir:

*'Rhyddid' mewn Swahili

tri llew; gwefle dou'n dreflo gwa'd
brych o brae – a'r llall dan wardd 'u rhuad
yn wag a main 'i wylad;

haid o blant pantog
'u gwynebe – *we black, you rich* –
geire fel og;

merched yn malwodi'n wan
dan gregyn beiche'u hil a'u rhyw;
dim ond llyged yn tychan;

a thu ôl i wahoddiad un Wên ddu,
yn llysgo trw eden 'i gwythienne,
ro'dd sarff y clefyd a alle'n clymu.

Ai'r hireth am genhedleth o *uhuru* –
yr yfory a erthylwyd cyn 'i fwrw,
sy'n gwingo'n dy go' di a'u heneide nhw?

Baled

Gwranda ar diwn gron y gwir: 'y nghenhedleth i ddechreuodd
ei thrawsblannu fesul gair o'r galon i'r pen;
ei thorri lawr oddi ar gro's hen grefydd a wywodd,
rhoi cusan angerdd rhwng gwefuse'r byw o'dd ar ben.

Geire fuodd yn gorwedd yn swrth mewn adnode,
geire mowr fel 'cyfiawnder', 'rhyddid' a 'brad'
yn codi, magu asgwrn cefen, tyfu tafode protesgar-
bentecostedd, wrth sero'n dân i gydwybod, i'r gad.

Rhyw ffawdheglwr own i ar gerbyd y chwyldro,
(ga'th 'i dano 'da hen ŵr doeth 'i lwyth)
yn troi 'nghefen ar whilbero idiome tomlyd,
'rôl gweld silffo'dd perllanne llên yn pyngo o ffrwyth.

Ca'l ticed i bara am oes ar gledre unffordd
o orsaf coleg; magu bloneg 'y nosbarth, ca'l blas
ar gyfri'r bendithion ga'th eu gwardd i dad yng nghab lorri
a dou da'-cu yn nhresi'r ffarm a'r ffas.

Nawr fi yw'r gwrthdystiwr sy'n 'u galw'n ôl o'r galon,
i bicedu'r ofne ddaw yn orie'r nos;
panso'u gweud, 'u swmpo rhwng taflod a thafod
nes daw'r bore – mor groesawgar â chlochdar o glos.

Ond gwranda, ddyn du, ar diwn gron y gwirionedd,
'run hen gân i'n hala ni'n dou yn grac.
Ma' cylleth hilieth ym mhlygion siôl y famiaith
a alle gwrdd â'i thynged mewn cachad blac.

Llefydd

Clyw,
ma' dou le'n clymu dwy wlad,
llefydd bling i'r llygad.

Edrych o fryn y grocbren ar fro bwdwr;
cynrhon canrif ym mhenglog 'i mwynglawdd – dim ond dŵr
a gwynt yn fyw, dan grafange'i hange hi,
trwy lyged y barcut ddoth 'nôl i hedfan drosti.

Fan'na, dan aden fwltur,
ma' hen gwm â'i gleder yn gyrn;
cnawd 'i dir wedi'i losgi at esgyrn
bysedd a borthe lwyth;
cwm y llaw ddiffrwyth.

Clyw
leise dou ŵr ...

Ar dâp atgo, ma' Wil yn anwylo darne
o'i hen deyrnas, 'u llefaru'n ôl i'w lle:
'Ro'dd mwyne'n llifo o'r gw'thi,
canno'dd yn ffysto'i chalon hi,
cnawd yn porthi peiriant,
dynion, menwod a phlant.'

Ond gorymdeth geire o bìn dur
yw gwawd Nũgi,* llef mewn llyfyr:
'Dyw'r hirlwm sych ddim yn nychu,
na'r fwltur yn diberfeddu,
fel y siwt foliog-o-gyfalaf, ddu.'

Glywest ti
leise dou ŵr
am gleise dwy hil?

*Ngũgi wa Thiong'o – nofelydd o Kenya

Madde

... yn gynta
am neud iws ac esgus ohonot
i hala'r rhein,
gorynnod y brawddege,
yn genhadon at 'yn hunan.

Madde'r meddwi
ar siglo hen deid
yng nghragen 'y mhen.
Fan'ny, do's dim dieithr'o
ar iaith gwefuse'i draethe.
Ddim fel y tir tu hwnt,
lle ro'dd unweth fola o fynydd
yn anadlu heniaith liwgar y tymhore.
A'r garn grugie arno
fel bogel o bell
i glymu'r golygon.

A nawr,
mae'i wlad o dan gaead gwyrdd
a chof iaith mewn arch fythwyrdd.
Ac am ddifrïo'r drafft o'r dwyren.
Hen grefft yw honno,
tipyn hŷn na'r garddwr iaith;
palwr hydrefe'r Wlpan,
y plannwr ar dafode'r dyfodied.

Ie, fi yw'r garddwr ar gered
deimlodd yr awel o dir aliwn.
Honno dda'th i lyo'r dolurie
o'dd ar ffinie pob gorffennol,
i imp'o dou gof a dou gorff –

hi, yr hyder a'r hadyn o Gymra'g
ym mhridd ei hen berthyn,
ac ar awr glòs, hi'r rhosyn,
breiche o betale tyn.

A madde'r
llunie du-a-gwyn llonydd
o rŵm dywyll 'y niffyg deall,
yn llaith â dagre lens y gweld.
Neith'wr ddwetha,
yn fyw mewn lliw
ro'dd y lloerenni
sy'n cyfannu'r cyfandiro'dd
yn teledu ymerodraethe'n
datod a matryd.
Yn gwmws fel 'se'r byd i gyd
wedi neido ar gefen 'i gerbyd.

Ond heno, dal i fracso, frawd,
wna hen gorynnod y brawddege ara hynny –
y llateion lletwhith
yn dirw'n un ede arall.

ÔL-NODIAD – ATEB JULIUS

i.

Wedi'u harllwys – eu darllen.
Roedden nhw'n eiriau addas,
er mai anaml y gwelwn ni amlen
eiraog yn selio'n boreau
mor dynn â newyn i'w naws.

'Heddiw 'nghyfaill, pum mlynedd i'w hanghofio,
mileniwm o bum mlynedd,
a rwyma'n cyd-dramwy
wrth y wibdaith o obaith a aeth heibio.
Ildio i boenydio'r anialdir
hwnnw fu'n hanes ni – ei broceri eirias
yn ei ddiberfeddu o'i borfeydd
a dallu'i ffynhonnau yn dyllau
crimp. Blynyddoedd yn impio'u
cur â chyllell y cof.'

ii.

'... yn gof am y geifr
ger rhyw bydew'n sgerbydu;
clymau o deuluoedd yn clemio
a'r ymborth o bellafion yr ymbil ...
Ffeithiau mor noeth â'n diffeithwch
yw'r rheina, cofia. Bellach ces
f'arfogi â gyrfa i hogiau –
awyrlu yn lle hirlwm.
Ond rwy'n anfon f'enillion yn ôl
i'w gwroli rhag i'r gwir elyn
wneud tir neb o dir mebyd.
Ac mae sŵn dierth i'n cydchwerthin
a sgiweru'n ein mysgaroedd
o'i ganfod o awyren fel rhyw gynfyd arall
difaril ... difara.'

ADLEISIAU DYLIFE

i.

Hwythau yn myned heibio,
Ar eu diddychwel hynt,
Gan ildio'r llwyfan uchel
Yn ôl i'r glaw a'r gwynt.

'DYLIFE', I. D. HOOSON

Dros glawdd gardd
saith milltir o'r pentref,
y dechreuodd drama'r daith
ar donfeddi Dylife'i dafodiaith.
Ei angerdd yn dringo'n ôl
dros drothwy grid gwartheg y presennol
ger Cae Eitha,
dros Riw Saith Milltir a'r Grafie ar ei hynt,
a'i fegin,
erbyn hyn,
yn beiriant byrwynt.

Blynyddoedd serth yn ei lenwi â sêl
ac yntau'n ailddodrefnu'r 'llwyfan uchel'
â fflowrin, addoldai, tafarnau a rhodau dŵr;
â seiniau plant yn chwarae, Cwm yr Injin a'i
ddwndwr;
ei oleuo â chanhwyllau a golau haul ffydd
rhwng golygfeydd shifftiau wythawr,
cyn cloi, dan ddaear, bob goleuddydd.

Ei ailboblogi â mwynwyr, morynion, cariadon,
perchnogion llygadog – a'r llofrudd, Siôn...
a'r llais bellach ar garlam ei gerrynt
ac yn ei lawn hwyliau dan rym ei ail wynt

Yno, dros glawdd gardd,
fel rhyw gyfarwydd o gyfarwyddwr,
yn oroeswr bloesg a dreuliodd orig yn ei elfen,
cyn troi'n ôl i'w dŷ, gan gau'r drws
fel cau llen.

ii.

Enwog ydoedd yr hen ardal
Am ei mwynau y pryd hyn.
Deuai'r mwynwyr yn finteioedd
At eu gwaith o fro a bryn.

EDWARD EVANS, BARDD GWLAD

Dewch am dro sawl canrif, pan oedd Dylife
yn fro y gwaith ac yn ferw i gyd;
bro cynnydd y mwyn, bro'r cannoedd meinars
yn ha' eu preim yn gaeafu cyn pryd.

Yno rhofient, lle roedd chwys canrifoedd
yn sglein hen ar dalcen y Llechwedd Du,
egni rhyw fwynwyr o oes gyn-Rufeinig
a'u holion o fawl i lanw a fu.

Y garw goleg oedd Esgairgaled
lle plygai'r drefen gefen pob gŵr,
dysgent mai i'r pant wrth ruthro'n ei anterth
a'i rwydo i'w daith y rhed y dŵr.

Nychai'r men'wod wedi golchi'r mwynau
a hin y fflowrin yn poeri'i fflem;
gweithreg a merch dan ddwystorm ei gormes –
gwyw ei stad am chwecheiniog y stem.

Sobrach, taerach oedd y teid Fictoraidd
yn llenwi'u tai â'i ddiwylliant taer,
na rhu y ffrydiau i'r rhodau'n rhedeg
yn feddw'n eu rhwysg wrth feddiannu'r aer.

Yn bŵl o wendid bu bwrw blinder
ar ddawn Mynyddog â'i glustog o lais,
yn gwau a phuro iaith rheg a phoerad
i berloywi'r *songs* o barlwr y Sais.

Lle daeth Cobden a'i wŷr, y diwygwyr dygn,
i droi anian wyllt yn Dir Na n-Og.
Troi'r dŵr yn win trwy felin cyfalaf
a'r rhodau a'u llwyau'n diferu llog.

iii.

Gwraig y Garddwr aethe'i bant,
A dau o'i phlant o'r diwedd,
A ddaeth trosodd yno i'r fro
I 'mweld â'r Go fu gïedd.*

HEN FALED, TUA 1720

Dewch o 'na chi'ch dou, wy'n gwbod
bod y mynydd am dra'd plant fel plwm
ond mae 'nghalon i'n cered yn glouach
fel 'se magned yn llethre Dyfngwm

*Yn ôl chwedl leol llofruddiodd Siôn y Gof ei wraig a'i blant a chafodd ei grogi ar Ben y Grocbren, Dylife. Ond yn ôl hen faled a chofnodion y Llys, gwraig i arddwr oedd hi – ac roedd Siôn yn un o'i chariadon pan oedd e'n byw yng Ngheredigion.

mae honno'n cofio 'nghorff ar ei eingion
yn plygu dan ei ergydion ... yn gwingo
ac rwy'n goese ... yn freiche ... yn fysedd ... gwefuse
sy'n bedole o gnawd amdano

a'i gofleidio'n gelfyddyd allwn i mo'i gyflogi
am swllt y tro fel y lleill
ond biti na allwn i waredu'r hireth
fel erthylu'r groth gyda gweill

dewch o 'na, chi'ch dou, cyn i'r hydref
ladrata'r diwrnod fel dail,
oni welwch chi dân yn y pellter
yn gwahodd ar allor ei efail?

iv.

Y ferch anniwair a'i hud-ddenodd gynt
Nes lladd ei gariad at ei wraig a'i blant*

'JAC Y GOF' – W. D. RICHARDS, 1938

Parcio dan y pinwydd ar fin y gefnffordd
a fu'n wtra, rywbryd. Bryd hynny, wrth gwrs,
doedd dim sôn am eu presenoldeb bythwyrdd

na'r octopws o gronfa ddŵr ar y chwith islaw. Yna'i gweld
hi'n dod yn y drych. Crymu cerdded
yng nghysgod shetin, ei llygaid wedi'u hoelio ar y ffos.

Troi'r allwedd a gwasgu botwm rheoli'r ffenest.
Gobeithio na fyddai'i sŵn yn gostwng yn tarfu
arni. Roedd yn agos i dair canrif o ddoethineb trannoeth

yn fy llais ... *Des y ffordd hon ddegau o weithiau.*
Parcio, disgwyl a syllu i ddrych gorffennol.
A dyma ti, o'r diwedd, wedi dod.

Pan gododd ei golygon, synnais mor wahanol
oedd ei hwyneb i'w hosgo. Hwnnw'n ifanc a llwyd,
ei gwallt yn fframio'i llygaid eirin duon.

Roedd siôl yn dynn am ei hysgwyddau,
a'i bysedd yn gwynnu wrth dynhau'i grip
am geg ei sgrepan. Roedd ei thraed yn dal

i aflonyddu. Ond ro'n i'n awyddus i roi tafod
i eiriau a rihyrsiwyd am hir. *Cest di dy ddal ym magl*
gorffennol y ddau arall. Eu goroesi nhw oedd dy gosb.

Sibrwd ymhobman o dy gwmpas yn cau, fel cwlwm rhedeg.
Llwybr y ddihangfa 'ma oedd d'unig ddewis

ynte? Delwodd ac edrych. Yna
llifodd un sgwd sydyn o eiriau o gronfa'i chalon.
Doedd pawb ddim cyn waethed, cofia. Ro'dd y feistres

yn Llwyn-y-gog yn ddynes ffeindia'r byd. Wedi ame
bo fi'n fecsio ar ôl i fi glywed hogle'r newid,
yn gwrw ar ei wynt ... A'i weld ym mhylle du ei lyged.

Ro'dd 'rheiny mor ddwfn â'r siafft lle towlodd o'r tri.
A sibrwd ddedest ti? Ar ôl reiat y sbedu y mis Ebrill
hwnnw, ro'dd y gweision a'r morynion erill wrth eu bodd

yn hewian yr hanes – yn fanwl pan oe'n i o fewn clyw.
Y cyrredd ar drol, mewn caets, fel braenen ddi-lun
caets o'i waith ei hun, medden nhw ...

blagardio'r dyrfa a'r gofyn am gwrw cyn dringo'r ysgol
tu ôl i'r grocbren ... Y crogwr yn dringo'r ysgol arall. Rhoi'r
ddolen am 'i wddwg. Y lle'n wenfflam ulw wedyn.

Pawb yn gweiddi a thowlud cerrig gwynion at y corff,
cyn 'i adel 'na fel pendil ... i bydru. Alla i'm dychmygu
betsen nhw tasen nhw'n gwybod bod hedyn ohono'n.

tyfu fan hyn. Anwesodd 'i bol dan blygion ei dillad.
Ond 'swn i'n licio 'swn i 'di dysgu ffor' i dorri gair
ar bapur, er mwyn 'sbonio a diolch cyn diengyd.

Achos ro'dd y feistres yn ddynes ffeindia'r byd ...
Mi a' i 'ŵan cyn i'r hen ddolurie ddechre smartio.
Gadawodd fi'n fud i wylio'i chefn a'i cherdded.

Mynd yn fanach ac amlach nawr. Dal i ddianc, meddyliais,
er mor anodd dianc oddi wrthych chi eich hun.
Rhaid oedd agor drws y car a gweiddi –

Diolch ... diolch am ddod, ac fe dria i dorri gair,
ar dy ran. Rwy'n meddwl – ond alla i ddim bod yn siŵr –
iddi godi'i llaw cyn troi'r cornel a dianc

yn ôl i'w gorffennol.

*Yn ôl traddodiad llafar lleol arall roedd Siôn wedi cwympo mewn cariad â morwyn Llwyn-y-gog a'i phriodi. Ceir cyfeiriad ati yn y faled ond nid yng nghofnodion y Llys.

v.

Dwi ishe i ti ddod i'r Gwaith ... dwi ishe hogyn bach ar
y fflowrin efo dy dad. Ddoi di i fyny efo fo?

GEIRIAU CAPTEN JONES WRTH WIL RICHARDS, 1914

I ninnau gogiau'n cychwyn, dan gogio'n
hosgo dwylath yn ein sgidiau hoelion,
roedd gwefr a swae pentre'r hen straeon
yn daer eu galwadau o'r gwaelodion.
A gwaedai yng nghysgodion y siafftiau
ryw hen friwiau hyd furiau'r diferion.

Gwthio i ewynnog ddaear y gwythiennau,
a honno'n draul ar ein pwyll a'n driliau,
ond byddai'n llwythi'n dirwyn o'i llwynau
a'n hir amynedd yn esgor mwynau.
Undydd brwd cyn diwedd brau obeithion
i wŷr y briwsion a thrai ar brisiau.

Ddoe suddai'n ffawd; heddiw buddsoddi'n ffydd
glaear yn naear lefelau newydd,
a hanner coelio cwmnïau'r celwydd
yn nyddiau'r cŵn yn brwd addo'r cynnydd.
Druaned oedd hi drennydd; ton ola
llafur y mwyna'n llifo o'r mynydd.

Llifiai oerfin drwy'r offer llafurfawr,
fe falai'n ynfyd y felin enfawr;
i erwau'n tanio daeth oerwynt Ionawr
a'i amdo'n gor-doi, cyn cloi'r bedd fel clawr.
Ces dystio i'r dismantlo mawr yn Nyfngwm,
a gwedd hirlwm tragywydd i'w oerlawr.

Heliais oddi yno 'stalwm, ond driliodd
treialon fy neugwm
eu blast yn fy nghalon blwm.

vi.

The bardic machine was next introduced to the audience ...
LLANIDLOES AND NEWTOWN TELEGRAPH, 1856

Ceiriog gynt, yn difyrru rhwng cystadlaethau
â'i beiriant barddoni. Yn honni bod
tâp y silindr yn y blwch yn cynhyrchu
penillion ac englynion o fawl a hwyl.

To *the Jac y Mawn Hotel:*

Dyma dŷ i dwymo dawn, – tŷ ceffyl,
Tŷ coffi cysurlawn,
Yno caf y peint cyfiawn,
Gee, come horse, am Jac y Mawn.

Hithau'r gynulleidfa yn ffugio coelio'r
celwydd. Fe'r *impressario* yn porthi'i chwant
am boblogrwydd rhwng pyliau'i ddiota.
Gwrandawyr â'u hawch am chwa o chwerthin
rhwng gorthrymderau shifftiau, diciâu a drycinoedd.

Ceir sgriniau bellach ym mlychau ein mwynhad.
Darfu'r cloddio, y clefydau a'r caledi
Ac mae sioeau'n rhialtwch a'n realiti mor wahanol.
Prin yw'r 'bugeiliaid newydd' ar yr hen fynydd,
a dim ond rhai o'r rheiny sydd yn 'nabod y gân.

ESECIEL*

Awdl ei oes sy'n pendilio o hyd
rhwng dau fyd a dwy ganrif ei fynd;
o'r adeg pan brentisiai, pan greai â'i grefft
berfedd a bysedd – fel bardd,
a rhoi'i enw ar wyneb
cloc ei angerdd. Peri i amser gerdded

o glyw ei lid – John Elis, y gwladwr –
o flaen ei well, am weiddi, a'i fola'n wag
y byddai'n 'waed am waed mwy';
mynd rhag byd â bawd a sawdl
y stad arno'n stamp;
cyn estyn cam am Fryste,
a'r gwragedd ar drugaredd gwynt
a wnâi uffern o Lansteffan.

Ond cadwodd ei ffydd yn dywysydd y dwsin,
a morio hedd o weddi Gymraeg
ym merw'r ewyn ar fwrdd y *Maria*.

Newid byd, ac yntau a Ned Bebb
yn mordwyo afon Ohio, ac ar ei glan hi
yn hogi bwyeill eu llygaid
a gweld hen goetir o anialdir yn ildio;
ei weld yn ddoldir
ac yna yn hadu'n
eginfa ar ei ganfed.

Y clociwr, y crëwr craff
yn pennu'i dalaith,
ei Ganaan
cyn pendilio
yn ôl i'w hen Walia
er mwyn nôl y ferch daer o Frynaere.

Ond chwalodd,
chwap wedi dychwelyd,
angau eu huniad a chynghanedd
driw ei awdl – dros dro.

Wedyn,
wrth oedi
ei gam, y tu hwnt i afon Miami
yn nhir gwâr y Dŵr Gwyn,
wrth i ffawd a rhawd ei ailbriodi,
ei blanta,
byw a'i helyntion
neu wrth drefnu i'w saethu hi,
y fwled syth o hewl
drwy wlad rhyw lwyth,
wrth i'w lythyru weithiau lethu'i oriau
a'i lonyddu gyda threigl y blynyddoedd.

Neu wedyn, yn enwedig
yn nyddiau braint ei henaint penwyn,
yn sedd yr ustus heddwch
a hen Indiad o was cyndyn
yn frwnt ger ei fron,
yno, wedi'i halio am ddwyn doler ...

Tybed, wedyn
a welodd, a ddewisodd e weld
yng nghochni 'whisgi ei wedd
un arwydd o alar neu hiraeth
am heldir ac am ildio?

Neu a deimlodd e frathiad
o frad am iddo'i ddedfrydu
dan fawd a sawdl
ei awdl o oes?

*Eseciel Hughes, Cwmcarnedd, Llanbryn-mair, a arweiniodd y fintai gyntaf o ddwsin o'r plwyf i sefydlu Paddy's Run yn nhalaith Ohio. Roedd yn un o arloeswyr mwyaf blaenllaw'r ymfudo i'r dalaith a bu farw'n hen ŵr dros ei bedwar ugain oed.

CERDDI CYFOCHROG

EPYNT

(i waith Ifor Davies)*

Edrychwch,
ble bynnag y sgriffiniwch chi ei groen,
fedrwch chi ddim osgoi
gwawr goch y gwaed.

Rhowch swch arad' ynddo
a gwythiennau llawn fydd ei gwysi;
tynnwch oged drosto
ac fe fydd ei Frycheiniog yn frech ohono,
wrth iddo sychu a threiglo,

yn gwmws fel petai'n llefen
am yr holl dadau, mamau a phlant
a alltudiwyd,
y deucant ac ugain namyn un;
ac am iaith a chartrefi sy'n ddim ond enwau:
Gelli Gaeth, Llwyn-coll, Ddôl-fawr, Brynmeheryn,
Carnau, Gilfach-yr-haidd, Croffte a Brynmelyn;
Carllwyn, Graig, Gwybedog, Cefnbryn-isaf,
Tir-cyd, Blaentalar, Disgwylfa, Bwllfa-uchaf;
Abercriban, Beili Richard, Neuadd Fach, Rhyd-y-maen,
Abercyrnog, Tir-bach, Ffrwd-wen ac yn y blaen.

Ffrâm o ffermydd
am gynhaeaf
y lladdfeydd
o'r Almaen i'r Malfinas
ac o Iwerddon i Irac.
A hwnnw'n gynhaeaf a gafodd ei egino
gan arfau'r milwyr a fu'n ymarfer
ar ei fynydd.

Ac er bod yr ebol
sy'n dal i redeg i'w hynt yn ei enw –
a hithau Epona, duwies Geltaidd y ceffylau,
yn ein harwain
i erwau rhyw fore gwâr
fedrwch chi ddim osgoi,
y tu mewn i ffrâm y ffermydd,
wawr goch y pridd
sy'n creu'r llun,
sy'n llefen y gwaed.

*Yn 1940 cafodd 219 o drigolion mynydd Epynt eu symud er mwyn i'r Weinyddiaeth Amddiffyn sefydlu maes tanio ar gyfer y Fyddin. Enwir rhai o'r hen ffermydd hynny yn y gerdd. Yn y darlun o waith Ifor Davies gwelir bod pridd gwawrgoch yr ardal wedi'i rwbio ar gynfas i gyfleu gwacter y mynydd-dir heddiw; ceir hefyd ffotograffau bach o'r hen ffermydd ar gyrion petryal y llun yn ffrâm iddo.

'...CYN TORRI'R LLINYN ARIAN'
(i waith Eleri Mills)*

Yn nhir y llinyn arian
hanner gwir yw lluniau'r gân,
dieiriau yw ei stori,
curlaw yw ei halaw hi.
Arch coed bythwyrdd am furddun –
hanner lloer yw amdo'r llyn;
yn nwfwr hwnnw hefyd
obry'n ei fol, mae bro'n fud.
O'r diwedd, 'dafedd y daith,
honno fu'n pwytho'r heniaith,
oddeutu sy'n ymddatod
a'u dawn hwy'r gwladwyr di-nod:
ust oer, lle bu nos a dydd
eu bugeilio bwygilydd.

*Daw'r dyfyniad sy'n deitl i'r gwaith deuddarn – neu'r diptych – y seiliwyd y cywydd arno o Lyfr y Pregethwr. Yn ogystal ag Eleri Mills, yr arlunydd o ddyffryn Banw ym Maldwyn, defnyddiodd y bardd Iorwerth Peate, a hanai o Faldwyn, ddelwedd y llinyn arian yn ei waith.

Yn nhir yr hanner arall
mae cwm y bwrlwm di-ball
yn wthio taer o groth tir,
yn oleuo a glywir;
mae hen awen fenywaidd
yn fframio ffridd fferm a phraidd
ei gwaddol, gwau i'w heddiw
adlais y llais sy mhob lliw.
Ym mhwythau hon mae iaith iau
yn esgor o hen dasgau
drachefn; ym mhaent a defnydd
ei gwaith cain mae gobaith cudd
yn rhoi gwaedd yn lluniau'r gân
yn nhir y llinyn arian.

BALED Y BLYCHAU
(I waith Carwyn Evans)*

Ar donfeddi transistorau ein chwedegau ar ei hynt,
fe ddaeth cân ar draws y 'Werydd yn fwy dierth na'r rhai cynt;
soniai hi am flychau bychain, rheiny'n unffurf ond bob lliw,
wedi'u codi, yn ôl ei geiriau, lawr y pant a lan y rhiw.

'Tici-taci' oedd eu muriau – geiriau'r Americaneg gain,
car wrth garej, lawnt wrth dalcen – dim sôn am fuwch a moch –
na 'whain;
clinigol-lân fywydau'u deiliaid apeliai'n fawr at egin-fardd,
oedd bryd hynny'n gwneud ei fusnes mewn sied sinc ym mhen
draw'r ardd.

Cerddem â'n teclynnau'n dalog ar ein sgwyddau'n dynn wrth glust,
rhwng Cartrefle a Thŷ Heter – hewl y gwifrau ffôn a'u pyst;
roedd cloddiau'r adar ar bob ochor, ac eto i gyd
byddar oeddem ni i bopeth ond y gân o ben draw'r byd.

Llithro wnaeth y nodau i gadw, fel feinyl du rhwng llewys cof,
aethom ninnau'n ôl i bori ein bywydau gwledig, dof.
Ond i lannau Ceredigion, rowlio i mewn wnaeth teid sawl grant,
fel epil yr hen gân yn gwmws – er mwyn dod mlân, fe es i bant

i goleg blychog ar fryn uchel, tyrau ifori ein dysg,
lle caem gwato'n gwahaniaethau a chael meddwi'n dwll fel pysg.
Wedi pwl colegol ddwli, codi tŷ i deulu'n nyth –
brau ei furiau, mewn sir arall – cyn i storm ei droi o 'whith ...

* Atgoffwyd fi gan y gwaith hwn o bentwr o flychau nythu o eiriau'r gân enwog 'Little Boxes'. Malvina Reynolds oedd awdur y geiriau a luniwyd fel protest yn erbyn polisi'r Unol Daleithiau o godi tai o ddefnydd digon sâl yn dilyn cyfnod yr Ail Ryfel Byd.

Fis yn ôl, dychwelyd wnes i ar angladdol wŷs oedd wers.
Rhwng Cartrefle a Thŷ Heter wrth fynd yn slo tu ôl i hers,
lle bu'r gân yn pwnio'n pennau, wele flychau tai go-iawn,
car wrth garej, lawnt wrth dalcen – a'r lle buon ni'n chwarae'n llawn.

A 'whap wedyn, gwelais flychau yn un domen o chwe mil.
Wfftiais nhw fel gweledigaeth artist ifanc hanner-chwil,
ond cofiais am y gân broffwydol na ddeallwn mo'ni hi
ac fe drodd y domen wedyn yn anheddau byw i fi,

lle daw adar dierth i glwydo ac i weithio'u nythod clyd;
eu cân nhw yn groch ymhobman – tra bo cân hen gloddiau'n fud.

Y DORCH
(I waith Mari Williams)*

Mae cneuen cnawd gwar
a gwddwg mor aeddfed – ond mae'r gïau mor dynn
dan sioe aur y dorch wâr.

Y FREICHLED

Bu'n hardd ar arddwrn,
bellach mae'n feis o fysedd
yn cau – a'i haddurn yn fwrn.

Y TAIR MODRWY

Ei haur, serch ei hienctid oedd hi
a'i harian oedd ei hiraeth,
du yw ei henaint a chaeth.

*Ar yr olwg gyntaf mae'r gwrthrychau a ddisgrifir yn y tri 'haicw' yn eithaf syml eu gwneuthuriad. Dim ond ar ôl craffu'n fanylach y sylwir ar gymhlethdod eu ffurfiau.

LLADD AMSER
(I waith David Gepp)*

Torri enw, lle a dyddiad –
ffordd ddiddrwg o ladd amser,
wrth ddisgwyl eich tro
dan un o bontydd bywyd.

Y blac-led – y plwm – rhwng bys a bawd
yn llofnodi llinell neu ddwy – neu dair,
yn englynion milwr go iawn
rhwng ffosydd syth y morter.

Ac er bod lens camera
a threigl canrif
yn ein gwahanu,
mae bwa a chynffon a slent
pob llythyren yn dal yn byls byw
i'r gweld.

Mae'r un enwau
mor ddof yn y gofeb.
Y rhain a fu'n llathru wedi'u llythrennu
â dur cŷn mor llym â blaen bidog;
y meirwon marmoraidd
fel pe baen nhw'n dal dan orchymyn,
yn rhesi unionsyth,
yn gefnsyth,
hyd byth.

*Ffotograffau o enwau gafodd eu llofnodi gan fechgyn a oedd yn aros i gael eu recriwtio ger pont yn Llangollen adeg y Rhyfel Mawr. Ceir yr un enwau ar y llun o'r gofeb gerllaw.

CESTYLL

(I waith Tim Davies)*

Nid Caernarfon na Chonwy –
hen gewri maen hawddgar mwy,
na'r Brenin Siarl o Harlech
a'i drem-cerdyn-post yn drech
na'i orwel o Eryri,
na'i friw graig, na'i fôr a'i gri;

ond llen ddulas dros gastell,
rhith o ffurf ddierth a phell
dan wawd, fel ffawd cnaf ar ffo
o olwg heddiw'n cilio
lwyr ei din i'w 'slawer dydd,
yn ôl i lyo'i g'wilydd.

Dere i wyll diawyr hwn,
hyd winsh o ddyfnder dwnsiwn
at laddfa ap Cynan y co' –
sŵn ing hanes sy'n ango'
a droai'n gwŷr dewr yn gig
a'u hangau'n llygod Ffrengig.

Neu dring i fyny'i dŵr e,
edrych ar bobl ei odre
yn grwm o dan deyrn mor gry',
yn daeogion ar dagu.
Edrych, wir, ystyria chwedl
hen eiconau ein cenedl.

*Cardiau post o gestyll a gafodd eu croeslinellu â beiro las.

HWIANGERDD

(Llun plentyn – a fwltur yn ei ymyl – mewn papur newydd adeg rhyfel cartref a newyn yng ngwlad Swdan)

Ti, yr eiddil dan drem eiddig,
y bychan dan y bachyn-big,
rhag amynedd dur ei wylad –
cwsg, rhag newyn, rhag y gad.

I gyfeiliant eu cliciadau,
cwsg – dan lensys oer ein camerâu;
mae troi'n ddyfais dioddefaint,
yn fregus alwedigaeth-fraint.

Ti'r hapddelwedd drwy'n ffin bapur
sy'n argraffu'n gur
heno ar hoelion fy nghydwybod,
cwsg, tan y borc bach o gardod.

CNOI CIL

(Ar waith Delyth Jones)*

Cnoi cil ar eu tynged,
y mewnfudwyr mwyn
o Swydd Aeron, Ffrisia ac Ynys Jersey

a dilyn pendil y cadeiriau
a fu'n mesur hynt tymhorau
yn ddyddiol- feunosol
i'r beudai
o Gae Ffynnon,
Cae Tri Chornel,
a'r Cae Anhysbys.

Teimlo'u llawnder llaethog
wrth fynd â'r clwtyn a'r bwced
hyd sodren
a chlywed sugn rhythmig
yn tynnu ar y tethau
a'r caniau'n tincial,
yn canu
eu siwrneiau ar gefnau'r lorïau.

Cnoi cil
ar dynged
y fuches fu â'i ffroenau
mor agos i'r pridd
bellach yn llestri pridd.

*Llestri pridd wedi'u creu gan Delyth Jones, ar sail ei hatgofion am fferm laeth ei theulu yn sir Fflint a'm hatgofion innau am gyfnod y lorri laeth yng Ngheredigion ganol yr ugeinfed ganrif.

CERDD AR Y CYD

(Cyfansoddwyd ar y cyd â disgyblion fy hen ysgol
– Ysgol Gynradd Pennant)

Buon ni
yn rhoi Pennant ar y mur
a dychmygu'r pentref
y sgwâr ... y siop a'r Ship ... yr ysgol ... y capel ... a'r bont.

Bu arlunydd
yn gwneud siapiau o siarcol,
a ninnau'n lliwio'n llachar
y tai'n goch fel tân,
y Ship yn wyn fel ffroth cwrw,
yr ysgol fel y fagddu,
y capel yn felyn fel bananas,
a'r siop mor lliwgar â'r enfys.

Ambell waith
daw'r murlun yn fyw:
mae'r ci yn cyfarth
a'r nant yn sibrwd,
mae'r ceffyl yn mynd drot, drot dros y bont,
rydyn ni'n arogli'r awyr las a'r paill yn yr haf.
Ac wrth ddod 'nôl i'r pentref
rydym yn teimlo hapusrwydd fel mynd
i wely cyfforddus.
Buon ni yn rhoi Pennant y mur ar bapur
a dychmygu'r pentref.

TRIBAN
(Yn anffodus, caewyd yr ysgol yn 2009)

Er bod y glwyd dan gloeon
a'i desgiau'n awr yn weigion,
bydd hon â'i llond o leisiau plant
ym Mhennant ein hatgofion.

CERDDI CYFARCH

TRIBANNAU
(I rai o sêr tîm rygbi Cymru – Cwpan y Byd 2011)

Shane

I'r chwith, i'r dde, mae'n gwibio,
fan hyn, fan draw, mae'n ffugio,
ond Aman bach a fydd yn ben
a'r llinell wen o dano.

Mike

O fôn sgrym fel y cythrel
drwy'r ochor dywyll a'i dwnnel,
mae'r deryn nos a'i dra'd e lan
yn hedfan am y gornel.

Leigh

Mae'r gic yn wych – yn uchel,
a'r bêl ar don yr awel,
ond dimai o grwt o'r enw Leigh
sy dani â dwylo diogel.

George

Â'i forthwyl pa ryferthwy
fel hwn o Fôn i Fynwy?
daeth hwthwm Jonah Lomu'r north
dros bont y Borth i'r adwy.

Jamie

Pwy'r cynnwrf yn y canol
a'r gorau o wŷr rhagorol?
Caiff doctor Jamie'r juggernaut
fy fôt pan fo'n y fantol.

Dan

Lle claddwyd corff Llywelyn
'rôl brad Cilmeri'r gelyn,
cyfododd taclwr fel y dur
i'r bur hoff bau yn eilun.

Sam

Ti yw ein capten tawel,
ein craig mewn storm ac awel,
mae'n biti garw i ti Sam
gael cam gan hanner Gwyddel.

CYFARCH GORSEDDOGION EISTEDDFOD POWYS YN LLANIDLOES

Bu Llanidloes ers blynyddoedd yn enwog
am Siartwyr, argraffwyr, pêldroedwyr – a Cheiriog.
Ond bellach mae'r dref ger y ffordd osgoi,
y 'Lani' fodern, bob blwyddyn yn troi
yn llygad haul – a thwll glaw – Gorffennaf
yn gyrchfan i'r torfeydd rhyfeddaf,
lle mae Dil yn troi'n Dei a phob Dei yn Nansi.
Dyma brifddinas unnos y gwisgo ffansi!

Yn dawel bach, rwy'n teimlo dipyn o 'Nansi' fan hyn,
fel adfyrt Persil i gyd yn fy ngwyn.
A rhyw griw go ryfedd y'ch chithe'n eich glas
a'ch pennau o'r golwg a'ch gwaelod chi ma's.
Ac ry'ch chi sy'n eich gwyrdd o'ch penwisg i'ch sanau
fel sowldiwrs mewn *camouflage* ar goll o'r Bannau.
A oes 'na genedl arall a all gynnig gwelliant
am wisgo fel walis yn enw diwylliant?

A bellach mae mor amlwg â'r dydd i chithe –
'sono i'n mwynhau seremonïe;
waeth ychydig yn ôl ces fy ngwisgo mewn gown
a fy arwain i lwyfan i chwarae'r clown.
Ac yn *Western Mail* trannoeth doedd fawr o sôn i fi ennill,
na fawr o glod i fy nhipyn pennill;
dim ond pennawd bras 'The Bard Lost His Crown'.
Bu'n rhaid goddef gwawd sawl wag go gip:
'Mi gollaist y goron am fod yn fardd talcen slip!'

Felly, Madam Archdderwydd, gaf i 'neud apêl
ar ran y plant yn eu blodau a'r oesoedd a ddêl?
Does dim gobaith i Gymru yn paredio mewn trilliw
a'r byd mawr o beutu yn prancio'n amryliw.
Barchusaf orseddogion Powys,
dyna fy nghyngor – y Prifardd piwis –
boed i'r Ŵyl ddrachtio o hwyl 'Fancy Dress Lani'
er mwyn yr ocsoedd a ddêl – be amdani?

CYFARCHION I'R PLANTOS

MYFYRDOD

(Ar ddod yn dad-cu)

Fe waedda i'n uchel, 'dwi'n dad-cu',
os oes raid, fe waeddaf 'dw i'n daid', er eich mwyn chi.
Caf wared â labeli fel canol oed cynnar a chanol oed hwyr,
neu hen lanc wedi gwahanu ond heb ysgaru. Mae gennyf ŵyr.
Ac mae dau air bach syml fel 'ŵyr' a 'ta-cu'
wedi parchuso holl hoedl rhyw rebel fel fi.

Fydd dim rhaid i fi gwato'r botel a labelwyd Grecian,
fydd dim ots fod 'y mhen i'n ddu – a gwyn – fel buwch Ffrisian.
Ar awr wan, caf golli dagrau sentimental fel Niagra,
ac ar awr lipa fe allaf ofyn i'r doc am Viagra,
waeth rwyf i'n dad-cu.

Ac wrth ei fagu'n fy nghôl, caiff gynrychioli
popeth *na* fues i'n fy oes: gallaf ffoli
wrth ddychmygu'r dwylo bach yn tyfu gan gwpanu wy
o bêl – a'r traed yn ochorgamu a hollti drwy
amddiffyn rhyw dîm 'rochor draw i Glawdd Offa,
a'r sgwydde bach eiddil yn tyfu'n llydan fel soffa.

Ond mor ffôl pob dyfais, uchelgais a chwant
a bwlch y blynyddoedd yn bump a hanner cant,
a thithe heb dorri na gair na dant.
Felly, wnei di fadde i falchder un na all, yn syml, beidio â sôn
am dy ddyfodiad di i'r hen fyd 'ma – Siôn.

Alys

Alys, mwy, ti fydd mis Mai – y chwaer fach
orau fu, wyt latai
deilio afrad ei lifrai;
wyres, dy wres sy'n ddi-drai.

Heledd Elera

Haul y wawr, Heledd Elera – wyt ti
ar ein taith, mae'n hindda
pan fyddi'n chwerthin a'n chwa
o antur yw d'eiriau cynta.

Osian

Osian, buost chwedl yr oesau; – yn awr
wyt arwr storïau
di-iaith sy'n troi'n gampweithiau
newydd bob dydd i ni'n dau.

CYFARCHION I'R RHAI SYDD YCHYDIG YN HŶN

Hugh ac Eunice
(Yn dathlu trigain mlynedd
o fywyd priodasol)

Unwaith roedd dau wreichionyn; eleni
drigain mlynedd wedyn,
mae coelcerth eich cydberthyn
yng nghân eich deuawd ynghynn.

Anthony
(Arlunydd clawr y gyfrol yn drigain oed)

D'oriel yw dy Iwerydd, yn adlais
symudliw o'i dywydd,
a haenau paent aflonydd
terasau llwm y cwm cudd.

A'r un llun trigain llynedd o ŵr ffraeth
leinw'r ffrâm, mae arabedd
dy wefusau'n dy fysedd,
anian dy waith yn dy wedd.

Peter ac Eirian
(Cyfarchion priodas)

Er bod alaw gerllaw lli – hen draethau'n
drothwy i ddau Gardi,
hwn eich hoff fan gwyn chi –
porth cariad yw Porthceri.

Marina
(Ar ei hymddeoliad yn brifathrawes yn ei hen ysgol)

Bu dy droed ar ris isaf ein hysgol,
ddisgybl oes ffyddlonaf;
ar ei brig heddiw mor braf
yw awel dy gynhaeaf.

CERDDI COFFÁU

STORIAES

(I gofio Dat)

i.

Chwyddwydr yn soced llygad. Amser wedi'i chwalu
yn berfedd a bysedd wats ar ford, a'r astudiwr
yn seriws g'wiro'i gerddediad. Diberfeddwr
â'i amynedd wrthi'n nodwydd-brocian,
troi'r chwalfa'n wyneb byw, yn galondician.
Bob amser yn ei elfen yn byseddu

pyls injan, tafod esgid a choes cŷn.
Unwaith wrth 'whare o'r glust aeth y dôn yn wallgo,
ailgylchu gwifrau teiers yn dannau piano;
tynhau pob tant heb sylwi ar yr hollt
rhywle'n y ffrâm a allai wneud bwled o bob bollt!
O leiaf, dyna ddedfryd ddwys y dyn

a ddaeth i'w diwnio drannoeth. Ond ailwampiodd
ei gwympwaith yn gwpwrdd llyfrau wedyn;
rhyw ddysgu alaw newydd i hen offeryn.
Rhybudd tadol, efallai, mai tasg ddansherus yn y bôn
yw tiwnio geiriau'n donau i hen gofion.

ii.

Gwisga'r trowsus cwta a marchoga'r matras
a hwnnw'n 'berwi o 'whain'. Tithe'n grwt
ar dip glo'n y Maerdy. Rwy' o hirbell wrth dy gwt
'nôl i ysgol y wlad. Rwyt ti'n ffaelu sgrifennu
am i ti dowlu d'ysgrifbin fel saeth i lynu
yn nenfwd y rŵm fowr. A'r sgwlyn – oes ryfedd – yn gas!

Gwisga'r menig lledr, tro'n gân dân y *Norton*.
Gad i fi gydio'n ddihidans a dihelmed
yn dy ganol a theimlo'r gwa'd ar gered.
Tro'r cof ar sgiw wrth fynd dros bont New Inn,
fel ei fod e, ange, a finne, yn dal yn dynn.
Fe, sarnwr pob siwrne, all e byth sbwylo hon!

Sytha'n ddyn i gyd, *sgwaro ma's* yng nglas awyrlu:
pum troedfedd, pedair modfedd, *a phaid anghofio'r hanner*.
Trwsiwr y Bristol Blenheims; cariwr tywod yn enhuddo tymer
bomiau tân y blits yng Nghofentri a Lerpwl;
crefftwr ffatri arfau dinistr hefyd, yn cael ambell bwl
o fetio ar filgwn Perry Bar. *Ti'n gweld, dyddie da o'dd rheiny*.

iii.

Tad y ddau begwn; corun a sawdl – neu sawdl a chorun.
Bwrw prentisiaeth crydd dyddiau'r byw tyn

cyn yr Ail Ryfel Byd. Hoelio gwadn ar lest,
a ffeilio'i lleder yn llyfn yng ngolau gonest

ffenest gweithdy. Crefft arall, wahanol i hon
oedd ceisio llanw cod ledr y dyledion.

Arian baco, amser sbâr, oedd sylltau'r
chwedegau am dorri gwalltiau

meibion ffermydd, bois yr hewl. Sŵn cliper llaw
yn cyfeilio i ryddiaith clonc a stori – ond distaw

pan ddôi e, y bardd gwlad â'i dribannau
am ryw drybini pentrefol. Ro't ti'n casáu

penillion! Yn grwt, ro'n i bob amser yn droetsych,
ond doedd fy mhen chwedegol ddim mor wych,

a chawn fy mhryfocio, ei fod wedi strach
anghytuno'r torri yn ymdebygu i ben mynach!

Dychmygaf di'n chwerthin trwy fwg dy wdbein,
pe dwedwn taw penillion hollti blew
rhyw ddial drygionus yw'r rhain.

iv.

Rhwng y Bedol a Sarnbryncaled, fe ddaeth
ar hyd hewl ein hamserau – *Comer* werdd o'r pumdegau
yn cario'r tarmacadam sy'n cydio dau le
dwy genhedlaeth.

Mor fyw, 'rôl dod adre – ninnau'n glustie i gyd –
oedd dadlwytho'r storiaes ... trafaelu'r haf dros Bumlumon ...
a'r bobi a'i dal'odd yn sbîdo ac yntau ar hast
i balmantu'n byd.

Stori'n tanio stori, am farchoga rhyfygus
yr *AJS* a'r *Norton* – neu gaseg y gwas'naethu
yn ei gario adre bob pythefnos i newid ei grys.

Rhwng y Bedol a Sarnbryncaled, daeth heibio fel hyn,
nes bod cwt llwythi tarmacadam y cof yn pellhau
a thoddi mewn drych
wrth fynd.

YMWELIAD

(Ymweliad â Bear's Hill, Penuwch, Mai 2009;
er cof am y Prifardd John Roderick Rees)

Er bod y dodrefn yn yr un drefn
a'r llyfrau'n yr un lle
â deugain mlynedd ynghynt,

roedd y lle tân newydd mor ddierth
a di-dân â'i drem.

Dechrau procio lludw'r cof
a'i atgoffa
o'r crwt a ddeuai
â'i gerddi eisteddfodol, sâl ar nos Suliau;

o'i dad yn ailgered mewn geiriau
ei farch cyn belled â Brecon;
o Jane, yn porthi o gwmpas ei phethe

ac o sŵn y Brenin, y cobyn, yn ceibo
yr ochor arall i'r wal.

Mae dy lyged di'n sbarclo nawr, Jack,
meddai'r ofalwraig ffeind wrth y ford,
ac yntau'n awr fel Jane ei gerdd gynt
'yn braidd-gyffwrdd â glan'.

Ac er i'r golau ddiffodd yn llwyr
ar aelwyd 'yr ynys ddiddan',
dim ond i chi gilagor clawr y gorwel
fe ddeil y geiriau i fflachio,
i gipoleuo hen fyw gwledig, i guro'n galon styfnig,
i'n hatgoffa – a'n rhybuddio
oddi ar Enlli
ei gerddi e.

LYNDA

Hebryngodd Aberangell
hi i ddaear rhy-gynnar-gell,
hebrwng i dwyllwch obry
un frwd a flodeuai fry.
Ond heulog yw'r petalau'n
y cof, heb un nos i'w cau.

Mae tes y wên gynhesaf
yng nghôl rhain, mae'i hugain haf
yn ogleisiol eu glasoed,
yn hŷn, aeddfetach na'i hoed;
mae man sy'n hafan o hyd
a'i hafon yno hefyd.

Llif rhwydd ei llefaru hi;
llais dwfn yn arllwys Dyfi'n
ewynnog – Dan y Wenallt
yn dygyfor hiwmor hallt,
neu'i dawn ar gân yn donnau –
fel hyn bydd rheiny'n parhau.

Yn hon tywynnai anian
Ffrainc a Sbaen ar daen yn dân;
a hithau yn amlieithog
fu'n hau'i geiriau'n glychau'r gog
hebryngodd Aberangell
ym morio'i byw byr, mor bell.

DAU ENGLYN COFFA

Eric

Rhannodd â'r pererinion, hen angerdd
Llanengan y galon:
'mae nod taith ein gobeithion
tu hwnt i'r swnt wedi'r sôn'.

Rosina

Mor fyw'n y cof yw'r gofal a heuodd
drwy'i hoes hi yn ddyfal;
hwnnw a'i dwf fydd yn dal
ynom o hyd i'n cynnal.

CYDNABYDDIAETHAU

Cyhoeddir dilyniant buddugol y Goron, Eisteddfod Genedlaethol Ceredigion, Aberystwyth, 1992, gyda chaniatâd caredig Llys yr Eisteddfod Genedlaethol.

Cyhoeddir y cerddi canlynol a ymddangosodd am y tro cyntaf yn *Taliesin*, Rhifyn Gaeaf 2003.

'Epynt'
'Cyn torri'r llinyn arian'
'Baled y blychau'
'Y dorch, y freichled, y tair modrwy'
'Lladd amser'
'Cestyll'

Cyhoeddir 'Pan ges i 'ngeni' a 'Mynd i'r wal', a ymddangosodd gyntaf yn *Dal Clêr* (Hughes a'i Fab, 1993), gyda chaniatâd caredig S4C.

Ymddangosodd y bumed adran yn 'Adleisiau Dylife', sef rhan o'r awdl 'Llanw a Thrai', yn *Barddas*, Rhifyn Hydref 1987, ac yn y gyfrol *Calon Blwm* (Gomer, 1994).

GEIRFA

bariwns .... rhwystr *barrier*
blwng............... sarrug, gwgus
bracso .... cerdded trwy ddŵr *to wade*
gwân .... rhuthro ymaith, ei gwadnu hi
gware .... chware
lest .... troed bren a a ddefnyddir gan grydd i roi esgid arni
matryd............. ymddihatru; diosg dillad
oged .... og
panso .... cymryd gofal *to take pains*
sleigen .... *turd*
tropas .... huddygl
trwco .... cyfnewid